Pour Owen

MIXTE
Papier issu de
sources responsables
FSC® C022030

Titre original : The perfect Present for Mom and Dad
© 2012 by Rob Scotton
Couverture : Rob Scotton
Texte : Annie Auerbach
Illustrations intérieures : Rick Farley et Joe Merkel

Publié avec l'accord de Harper Collins Children's Books, une division de Harper Collins Publisher Inc.

Édition française : © Nathan 2013.
Éditions Nathan, 25 avenue Pierre-de-Coubertin, 75013 Paris.
ISBN : 978-2-09-254607-9
N° d'éditeur : 10189889

Conforme à la loi n° 49-956 du 16 juillet 1949 sur les publications destinées à la jeunesse,
modifiée par la loi n°2011-525 du 17 mai 2011.

Dépôt légal : juin 2013
Imprimé en France par Pollina- L64677.

Splat
Prépare un cadeau !

D'après le personnage de Rob Scotton

Nathan

Ce matin, la queue de Splat frétille
d'excitation ! Il a décidé de fabriquer
un magnifique cadeau à ses parents
pour leur montrer combien il les aime.

– Fini ! déclare Splat fièrement.

Mais le frère et la petite sœur de Splat
ont, eux aussi, décider de faire
un cadeau à leurs parents.

Splat regarde ce qu'ils ont fabriqué.
Puis il regarde de nouveau son cadeau.
Tout à coup, il le trouve beaucoup moins beau.

– Je peux faire mieux !
dit soudain Splat.

– Moi aussi !
s'écrie son frère.

– Et moi aussi !
dit sa petite sœur.

Ils se remettent tous les trois au travail.

— Regardez ce que j'ai fait !
se réjouit Splat.

Puis, il regarde son cadeau de très près.
Son frère et sa sœur font comme lui.

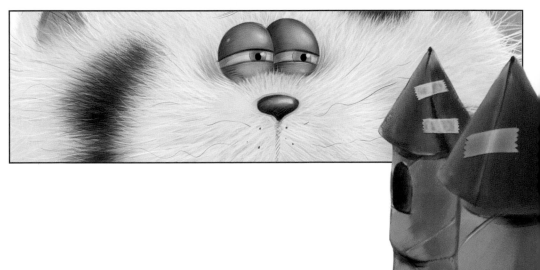

– Je crois que je peux faire
encore mieux, annonce Splat.

– Moi aussi !
poursuit son frère.

– Et moi aussi !
dit sa petite sœur.

Et une nouvelle fois, ils se remettent
tous les trois au travail.

– Regardez ce que j'ai fabriqué cette fois !
annonce Splat.

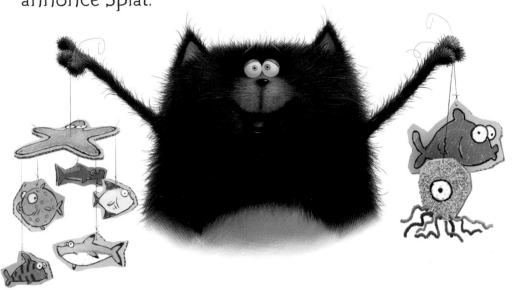

– Et regarde ce que l'on a fait !
poursuivent son frère et sa petite sœur.

— Waouh ! J'adore ce château et ces bijoux ! déclare Splat.
— Et, nous, on adore tes poissons ! répondent
son frère et sa petite sœur.

— J'ai une idée, dit Splat. Pourquoi ne pas fabriquer
un cadeau tous ensemble ?
— Bonne idée ! s'écrie sa petite sœur.
— Oh oui ! poursuit son frère.

– Il faudrait trouver quelque chose de...
grand comme un château ! dit le frère de Splat.
– ... et de magnifique comme un bijou !
dit sa petite sœur.
– Avec beaucoup de poissons ! conclut Splat.

– Je sais ce que ça va être ! s'écrie Splat.

Bientôt, le cadeau est terminé.

– Papa, Maman, regardez ce qu'on a fabriqué !
annoncent les enfants tous ensemble.

– Oooh ! s'écrie leur maman, un aquarium !
– Quelle merveilleuse idée ! dit leur papa.

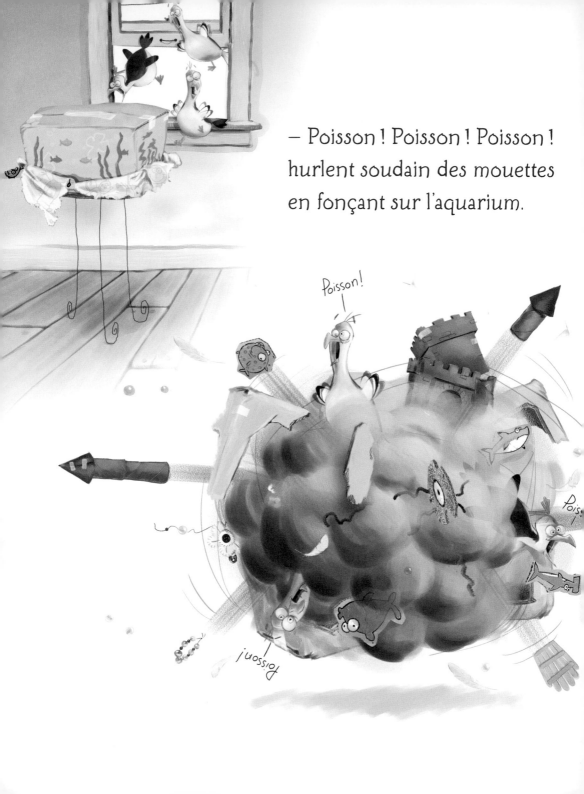

– Poisson ! Poisson ! Poisson !
hurlent soudain des mouettes
en fonçant sur l'aquarium.

Ooooh !!!!!!!!

— C'est fichu, se lamentent les enfants.

Leurs parents s'approchent d'eux et leur font un câlin.
– Ne soyez pas tristes. L'aquarium était très beau.
Mais le plus merveilleux de tous les cadeaux...
ce sont nos enfants !